TEXTE : GILBE
IMAGES : MAR

martine
se déguise

casterman

C'est décidé. Une grande fête d'enfants costumés aura lieu bientôt.

— Comme je suis contente ! pense Martine en apprenant la nouvelle.

La joie l'excite. Elle se sent des picotements plein les bras et les jambes. En même temps elle a envie de rire, de chanter, de danser.

4

Il n'y a qu'un seul problème : elle ne sait pas en quoi se déguiser. Alors elle réfléchit.

A-t-elle envie de devenir fée, bergère, princesse, marquise, chat, clown, Indien, sucette géante ou pièce montée ? Le choix est bien difficile et elle hésite :

— Que feriez-vous à ma place ? demande-t-elle à Moustache et Patapouf.

Ceux-ci n'ont pas d'idée sur la question. Ils secouent la tête.

— Si nous prenions conseil auprès de Mademoiselle Hortense, propose Maman qui a tout entendu. Mademoiselle Hortense est couturière. Mais ce n'est pas une couturière comme les autres : elle habille seulement les comédiens et les acteurs, ces gens qui jouent au théâtre ou au cinéma. Chez elle s'entassent robes, habits et chapeaux bizarres.

Martine saute de plaisir à la perspective de fouiller dans ce trésor :

— S'il te plaît, maman, allons-y maintenant ! dit-elle.

Mademoiselle Hortense habite une vieille maison aussi étrange que ses chapeaux. Une maison à colombage avec des géraniums aux fenêtres et une porte mauve. C'est joli une porte mauve.

Dans l'escalier en colimaçon, une ribambelle de nuages court sur le papier bleu de la tapisserie.

Une odeur de vanille flotte dans l'air.

Maman explique le but de leur visite.

— J'ai ce qu'il vous faut, répond Mademoiselle Hortense. L'année dernière, on m'a commandé des costumes pour une pièce d'enfants mais personne n'est venu les chercher. Depuis, je les loue... Viens les voir, mignonne.

Elle entraîne Martine dans une pièce pleine de placards dont elle ouvre les portes :

— Voilà... Veux-tu te transformer en luciole ou en ver luisant ? Préfères-tu être une pâquerette, une coccinelle, un papillon, une jonquille...?

— Oh ! s'exclame maman. Je l'imagine bien en jonquille.

Il y a un chapeau en pétales de satin jaune avec une jupe de feuilles vertes et un collant vert. Mais Martine, ravie, a aperçu la longue jupe d'une tulipe rose.

— Comme elle est belle ! murmure-t-elle.

Quelques perles transparentes remplacent les gouttes de rosée. La petite fille tend la main pour les caresser.

Mademoiselle Hortense sourit:

— Je vous prête les deux costumes. Vous choisirez tranquillement chez vous, dit-elle. Elle est trop gentille. Martine l'embrasse.

— Prenez donc une tasse de chocolat avant de repartir, propose encore Mademoiselle Hortense.

Les voilà installées autour d'une table ronde couverte d'une nappe brodée. Un vieux monsieur venu essayer un costume de marquis arrive avec un gâteau et s'invite. C'est un voisin, un comédien.

Le temps passe vite en sa compagnie, mais soudain Maman se lève:

— Nous devons rentrer maintenant, dit-elle. Merci pour ce bon moment.

Mademoiselle Hortense enveloppe les costumes. Martine porte fièrement le paquet dans la rue et, en arrivant à la maison, Maman l'autorise à faire ses essayages devant le miroir de sa chambre.

— Je prépare le dîner et je reviens te voir, dit-elle.

Martine reste seule avec Moustache et Patapouf.

— Préférez-vous la jonquille ou la tulipe ?
leur demande-t-elle.

Ils ne savent pas, ils aiment les deux.
D'ailleurs ils ont toujours pensé que leur
petite maîtresse ressemblait à une fleur.
Martine soupire, hésite, tergiverse... La
jonquille est très jolie mais sa jupe courte a
décidément une drôle de forme :

— J'ai l'air d'avoir des pattes de mouche
avec ce collant vert... et même, je res-
semble à une grenouille...

La longue robe de la tulipe est plus belle :

— Je la trouve géniale avec ses perles.

Martine caresse doucement le satin, tourne, retourne et virevolte à travers la chambre, puis soudain elle s'affole en voyant une déchirure au-dessus de l'ourlet. Est-ce un cauchemar ? Non, sans aucun doute possible il y a un accroc de cinq centimètres au moins dans le bas de la jupe.

— Ce n'est pas moi ! dit Patapouf.

— Ni moi... ajoute Moustache.

La petite fille ne les écoute pas. Son visage s'empourpre. Comment s'est-elle débrouillée pour abîmer le costume ? Sans faire exprès elle a dû l'accrocher au pied d'un meuble ou au talon de sa chaussure... Les larmes lui montent aux yeux car d'habitude elle n'est pas si maladroite.

Et maintenant comment avouer sa bêtise ? Maman sera mécontente et Mademoiselle Hortense croira qu'elle ne prend pas soin des affaires des autres. Quelle honte ! Il faut réparer les dégâts très vite. Martine court chercher sa boîte à couture. Puis elle enlève la jupe, la met sur l'envers, s'applique à coudre de tout petits points pour fermer la déchirure. Heureusement elle a du fil rose de la même teinte que le tissu, mais Moustache et Patapouf la gênent en essayant de la consoler.

L'aiguille glisse dans le satin... elle se pique!

— Zut et zut!...

Ce n'est vraiment pas facile. Elle s'énerve, sort un petit bout de langue... Enfin, elle a terminé.

— Tu as choisi? questionne Maman en passant la tête dans l'ouverture de la porte.

— Non, répond Martine en cachant sa boîte à couture.

— Tu veux que je t'aide à te décider?

— Pas la peine, ces costumes ne me plaisent plus. Je préfère les rapporter.

— Mais que mettras-tu le jour de la fête ? s'étonne Maman.

— Je n'irai pas à la fête.

Maman est de plus en plus surprise. Elle fronce les sourcils mais ne questionne pas davantage. D'ailleurs elle doit retourner surveiller son gâteau à la cuisine.

— Je cours chez Mademoiselle Hortense et je reviens! crie Martine de loin.

— Reste bien sur le trottoir, répond Maman.

Martine promet. Elle a une grosse boule dans la gorge.

Dans la rue, elle marche lentement, tourne à gauche au premier carrefour, fait attention en traversant.

Voilà déjà la porte mauve, l'escalier, les nuages sur le papier bleu, l'odeur de vanille. Mademoiselle Hortense est là-haut, occupée à sa machine à coudre. Martine voudrait lui expliquer la vérité, s'excuser, l'embrasser. Elle a trop envie de pleurer pour parler. Alors elle pose le paquet sur la table et se sauve sans un mot.

Dehors elle hésite. Elle n'a plus envie de rentrer à la maison. Elle voudrait marcher longtemps et ne plus jamais entendre parler de la fête costumée.

— Martine! Martine! On te ramène chez toi?

C'est Nicole en voiture avec son papa. Martine n'ose pas refuser l'invitation. Elle monte à côté de son amie.

— Tu as une drôle de tête, tu es malade ?
— Non, non...

La voiture s'arrête déjà devant la maison, Maman est dans le jardin. Impossible de repartir et de s'en aller très loin.
— Mademoiselle Hortense a téléphoné.
Ça y est ! le drame. Martine n'ose plus bouger.

Martine est étonnée de voir Maman
sourire, et elle n'en croit pas ses oreilles quand elle entend la suite :
— Tu lui as fait une gentille surprise, elle est très touchée de ton
geste.
Peut-être qu'elle n'a pas encore ouvert le paquet ? Peut-être qu'elle
parle seulement du retour des costumes ?
— J'aurais bien voulu voir cette réparation, ajoute Maman ; il paraît
qu'elle est formidable.
— Heu...

— En tout cas, tu as fait oublier la négligence de la petite fille qui avait loué la tulipe et qui l'a abîmée.

Martine ouvre de grands yeux :

— C'était qui ? demande-t-elle.

— Je n'en sais rien. Mais tu n'as donc pas écouté Mademoiselle Hortense raconter l'histoire pendant que nous buvions le chocolat ?

— Non...

Sans doute, à ce moment-là, écoutait-elle le vieux monsieur. Elle n'a pas entendu.

— Mademoiselle Hortense n'a pas eu le temps d'arranger l'accroc. Elle avait promis de le faire si tu choisissais ce costume.

De soulagement, Martine éclate de rire. Maintenant elle comprend tout et elle est bien contente de savoir que ce n'est pas elle qui a commis une bêtise.

— Je vais t'expliquer la vérité, déclare-t-elle ensuite à Maman.
Celle-ci réalise mieux la situation après l'avoir écoutée :
— Puisque c'est ça, je rappelle Mademoiselle Hortense et je lui annonce que nous avons changé
d'idée, décide-t-elle. Dis-moi seulement en quoi tu
préfères être habillée pour la fête.
— En tulipe, sourit Martine.
— D'accord...

Maman court téléphoner. Martine reste au jardin avec Moustache et Patapouf.

— Vous deux, annonce-t-elle, j'ai le temps de vous coudre des petits manteaux de satin rose. Je saurai peut-être même vous fabriquer des bonnets assortis et vous viendrez avec moi.

Ses deux amis échangent un coup d'œil inquiet. Parle-t-elle sérieusement ? Plaisante-t-elle ? Ils espèrent bien que oui...

21

Imprimé en Belgique par Casterman, s.a., Tournai. Dépôt légal: octobre 1993; D. 1993/0053/175.
Déposé au Ministère de la Justice, Paris (loi n° 49.956 du 16 juillet 1949 sur les publications destinées à la jeunesse).